GARFIELD

aux petits oiseaux

PAR JIM DAVIS

© 2000 Paws Inc.
Tous droits réservés
Garfield et les autres personnages Garfield sont des marques déposées ou non déposées de Paws, Inc.

Publié par **Presses Aventure**, une division de
Les Publications Modus Vivendi Inc.
3859, autoroute des Laurentides
Laval (Québec) H7L 3H7
Canada

Dépot légal: 4e trimestre 2000
Bibliothèque nationale du Québec
Bibliothèque nationale du Canada
Bibliothèque nationale de France

Données de catalogage avant publication (Canada)
Davis, Jim
      Garfield aux petits oiseaux
      Bandes dessinées.
      Traduction de: Garfield beefs up.
      ISBN 2-89543-020-9
      I. Therrien, Laurette. II. Titre.
PN6728.G28D3714   2000   741.5'973   C00-941892-0

JIM DAVIS

GARFIELD
aux petits oiseaux

TRADUIT DE L'AMÉRICAIN PAR
LAURETTE THERRIEN

Garfield.com
®

SALUT

C'EST MOI QUE TU REGARDES?

BELLE JOURNÉE

AH OUI? ET QUI L'A DIT?!

IL PARAÎT QU'IL POURRAIT PLEUVOIR PLUS TARD

EST-CE UNE MENACE?

MAIS J'ESPÈRE QUE NON

POULE MOUILLÉE!

JE VEUX ALLER MARCHER

VAS-Y! ESSAYE! JE TE METS AU DÉFI!

VEUX-TU VENIR AVEC MOI?

DEMANDE PARDON D'ABORD!

JIM DAVIS 9-12

TU ADORERAIS SORTIR AVEC MOI?

TU ES CONTENTE QUE JE T'INVITE?

JE ME PRATIQUE

SANS BLAGUE

JE SUIS UN ÊTRE HUMAIN PENSANT ET TU N'ES QU'UN MODESTE ANIMAL DOMESTIQUE

WHAM!

JE L'AI FAIT EXPRÈS!

L'ÊTRE HUMAIN PENSANT A FONCÉ DANS LE MUR

TU AS L'AIR DÉPRIMÉ, GARFIELD

À LA FERME, NOUS AVIONS UN REMÈDE POUR ÇA

ON ALLAIT DANS LA GRANGE ET ON CHATOUILLAIT LA CHÈVRE

SI TU ME TOUCHES, TU ES MORT

GRATTE GRATTE

J'AI EU UNE RAGE D'ACTIVITÉ

J'ESPÈRE QUE PERSONNE N'EN A SOUFFERT

J'AI DESSINÉ UNE MOUSTACHE SUR TOUTES LES PHOTOS DE JON

JE ME SUIS DESSINÉ UNE MOUSTACHE!

TROUBLE-FÊTE!

JE N'OUBLIERAI JAMAIS MES JOURS DE COLLÈGE

J'EN SUIS SÛR

SI ON AVAIT HISSÉ MES PANTALONS AU PORTE-DRAPEAU TOUS LES JOURS, JE M'EN SOUVIENDRAIS AUSSI

PARCE QUE VOUS ÊTES DE BONS CLIENTS, VOICI UN PETIT SPÉCIAL DE MA PART!

MERCI, IRMA!

C'EST UNE BOULE DE POMMES DE TERRE EN PURÉE

PASSE-MOI LE BEURRE

IRMA? IL Y A UN CHEVEU DANS MA SALADE DE POULET

BEL ESSAI, PETIT COMIQUE...

LES POULETS N'ONT PAS DE CHEVEUX

JE VOTE LE DÉPART À L'UNANIMITÉ

J'AI EU UN ACCIDENT AUJOURD'HUI AU BAR À SALADE

JE ME SUIS PÉTÉ LA GUEULE DANS UNE COLONNE ET J'AI RENVERSÉ UN POT DE FÈVES ROUGES SUR LE PLANCHER

UNE GROSSE FEMME A GLISSÉ DEDANS ET A FAIT UN DOUBLE SAUT PÉRILLEUX DANS LE CHAUDRON DE SOUPE DU JOUR

SON MARI M'A LANCÉ UN BOL DE BROCOLI CUIT QUE J'AI ESQUIVÉ, AVANT DE TOMBER TÊTE PREMIÈRE DANS LA VINAIGRETTE

C'EST ALORS QUE LA FEMME S'EST JETÉE SUR MOI, ME GAVANT DE PIMENTS FORTS ET ME REMPLISSANT LES OREILLES D'OLIVES NOIRES, PENDANT QUE SON MARI FOURRAIT UN PLAT FROID DANS MON PANTALON

ET C'ÉTAIT QUOI LA SOUPE DU JOUR?

JE SAIS POURQUOI TU NE VEUX PAS SORTIR AVEC MOI, HÉLÈNE

C'EST PARCE QUE JE NE CONDUIS PAS UNE GROSSE VOITURE DE LUXE!

OK... ET JE SUIS ENNUYEUX

VAS-TU TE RÉTRACTER POUR LA VOITURE?

TU SAIS, GARFIELD

IL Y A DES GENS QUI S'AMUSENT À FAIRE PORTER DE DRÔLES DE VÊTEMENTS À LEURS ANIMAUX

CROIS-MOI, ÇA NE T'AMUSERAIT PAS DU TOUT

VOILÀ, METTEZ ÇA!

QU'EST-CE QUE ÇA PEUT FAIRE SI JE N'AI PAS DE PETITE AMIE?!

NOUS PORTONS DES CHAPEAUX DE FÊTE!!

ET NOUS NOUS AMUSONS COMME DES FOUS

JIM DAVIS 10-17

TOUT LE VOISINAGE VA S'ÉCLATER AVEC NOUS!

TOUT LE MONDE! HOP! HOP! HOP!

HUBERT, J'AI TRÈS PEUR

TAIS-TOI ET HOP LÀ!

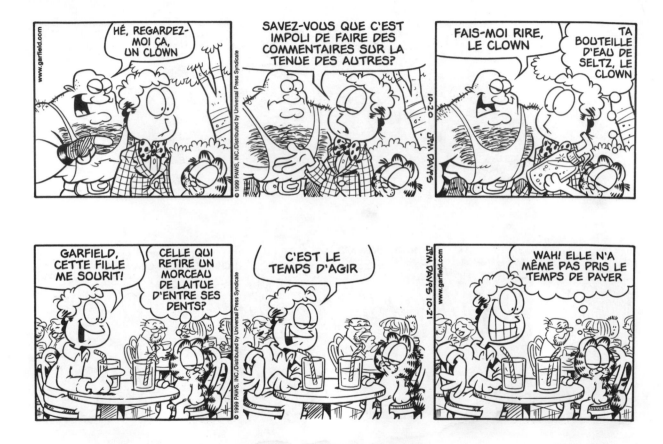

POURQUOI, MERCI MILLE FOIS!

SLAM!

REGARDE GARFIELD, MADAME FEENY NOUS A APPORTÉ UN GÂTEAU...

QU'ELLE A FAIT ELLE-MÊME... N'EST-CE PAS GENTIL DE SA...

TU AS ENCORE DÉTRUIT SES PÂQUERETTES, N'EST-CE PAS?

J'AI AUSSI PIÉTINÉ SES SOUCIS ET DÉCHIQUETÉ SES CHRYSANTHÈMES

GARFIELD, JE SUIS DÉPRIMÉ

J'ACCEPTERAIS BIEN UN GROS CÂLIN

J'ACCEPTERAIS BIEN UNE LAMBORGHINI, MAIS TU N'ÉCOUTES PAS MES JÉRÉMIADES

DES POILS DE CHAT!

TOUT MON UNIVERS EST COUVERT DE POILS DE CHAT!

EXCEPTÉ MA BROSSE À DENTS

AH! MON CURE-OREILLES!

© 1999 PAWS, INC./Distributed by Universal Press Syndicate   JIM DAVIS 10-31

LES CHATS BOUFFENT LES SOURIS

ILS LES ATTRAPENT, ET ILS LES BOUFFENT...

ET ILS LES BOUFFENT!

IL N'Y A PAS ASSEZ DE KETCHUP SUR CETTE TERRE, L'AMI

...ET VOICI MON AMI LE CHAT

J'AI UN NOM, TU SAIS!

TU N'ES PAS UNE ARAIGNÉE...

TRÈS PERSPICACE, CERVEAU DE PIERRE

POUR TON INFORMATION, JE SUIS UN MILLE-PATTES

UN ARTHROPODE PLAT DE LA CLASSE DES MYRIAPODES, CONSTITUÉ DE PLUSIEURS SEGMENTS ET DE NOMBREUSES PATTES

TU POURRAS ÉCRIRE DANS TON JOURNAL QUE TU AS APPRIS QUELQUE CHOSE DE NOUVEAU AUJOURD'HUI, GROS BALOURD!

CHER JOURNAL...

JIM DAVIS 11-7

REGARDE-MOI ÇA, GARFIELD

ON CONNAÎT UN HOMME PAR SA FAÇON DE S'HABILLER

ET À SON EAU DE COLOGNE

TU ES UN CLOWN QUI TRAVAILLE DANS UNE POISSONNERIE?

« CHER JOURNAL: JE M'ENNUIE À MOURIR »

« MES ANIMAUX, POUR LEUR PART... »

OK, ODIE...

CETTE FOIS-CI, ON VA BATTRE LE RECORD DU MONDE

WOUF

UN... DEUX... TROIS... PARTEZ!

SLURP!

YAAAAAAHHHHH

LES LIONS ET LES CHATS SONT DE LA MÊME ESPÈCE

LES LIONS SONT D'EXCELLENTS CHASSEURS

TU ES LA HONTE DE L'ESPÈCE

ATTENTION, JE VIENS DE MASSACRER UNE HORDE DE CORNICHONS

TU POURRAIS AVOIR UN PEU D'AMBITION

EST-CE QUE C'EST SERVI AVEC DES FRITES?

NOUS AIMERIONS COMMANDER UNE PIZZA

C'EST ÇA, AVEC TOUT CE QUI EST VRAISEMBLABLEMENT COMESTIBLE

ILS ONT DEVINÉ QUE C'ÉTAIT POUR TOI

J'EN SUIS TRÈS FIER

Z

LE CAMION DU LIVREUR DE PIZZA?

À TROIS MAISONS D'ICI... PEPPERONI!

BIP! BIP!

FAITES LA LIVRAISON À LA PORTE!

JE NE SORS PAS DE MON CAMION!

VOTRE CHAT EST FOU!

HÉ, JE SUIS DU GENRE SUSCEPTIBLE ET SENSIBLE

C'EST VOUS QUI AVEZ COMMANDÉ UNE PIZZA EXTRA EXTRA EXTRA GRANDE?

OUI

JE CROIS QU'IL VA FALLOIR FAIRE TOMBER UN MUR

AU PARADIS... JE SUIS AU PARADIS

BONJOUR, MONSIEUR. MON NOM EST FRANK LA PUCE. JE SUIS UN NOUVEAU DIPLÔMÉ À LA RECHERCHE D'UN POSTE DE PARASITE DÉBUTANT

JE VOUS ASSURE QUE VOUS TROUVEREZ EN MOI UN EMPLOYÉ DÉVOUÉ, UN GROS TRAVAILLEUR ET UN BON ÉQUIPIER

JE SUIS NOUVEAU DANS LE MÉTIER, MAIS JE VIENS D'UNE LONGUE LIGNÉE DE SUCEURS DE SANG QUI ONT RÉUSSI, ET JE ME SENS PRÊT À PERPÉTUER CETTE BELLE TRADITION!

IMPRESSIONNANT, FRANK, MAIS JE N'ACCEPTE AUCUNE CANDIDATURE EN CE MOMENT

VA VOIR LE CHIEN DANS LA PIÈCE À CÔTÉ. JE CROIS QUE SA FESSE DROITE A UNE PLACE LIBRE

VRAIMENT?!

QU'EST-CE QUE C'EST?

UN C.V. MINUSCULE

www.garfield.com

© 1999 PAWS, INC./Distributed by Universal Press Syndicate

JIM DAVIS 11-28

YEOOHHH!

IL Y A DES FOIS OÙ IL FAUT ABSOLUMENT MORDRE QUELQUE CHOSE

JIM DAVIS   11-29

www.garfield.com

ODIE A COURU APRÈS SA QUEUE

JIM DAVIS 11-30

ODIE A ATTRAPÉ SA QUEUE

ODIE A ENTERRÉ SA QUEUE

www.garfield.com

JOUONS À « TROUVER LE BEIGNET »!

CERTAINS JOURS, JE TE DÉTESTE

D'ACCORD, JE TE DONNE UN INDICE

VAS-TU CESSER DE FIXER MA NOURRITURE?!

ARRÊTE!

MÊME PAS UN MALHEUREUX COUP D'ŒIL?

HEUM

TAP TAP TAP TAP TAP TAP
TAP TAP TAP TAP TAP TAP
TAP TAP TAP TAP TAP TAP

OUI, JE SAIS COMBIEN DE JOURS NOUS SOMMES AVANT NOËL

EH BIEN, ON PEUT S'EXCITER!

POOKY, NOËL APPROCHE!

IL CACHE SA FÉBRILITÉ

« CHER FILS, JOYEUSES FÊTES DE LA FERME. TANT DE CHOSES SE SONT PASSÉES ICI... »

« LA JUMENT A EU UN POULAIN, LA TRUIE A EU UNE PORTÉE, LA POULE A EU UNE ATTAQUE... »

« ...MAIS ELLE AVAIT TRÈS BON GOÛT. »

CES LETTRES DE LA FERME COMMENCENT À M'AMUSER

PUIS-JE T'EMPRUNTER TROIS GUIMAUVES?

BIEN SÛR

GAR-FIELD!

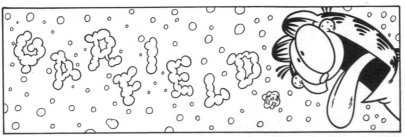

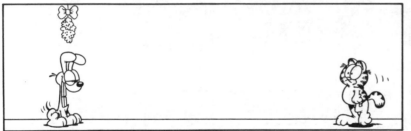

NON, NON, JE COMPRENDS TRÈS BIEN, PATTI

UNE AUTRE VEILLE DU NOUVEL AN, PEUT-ÊTRE

ELLE DOIT RESTER À LA MAISON POUR BROSSER SA LOUTRE

CONFIANCE AVEUGLE, OU IDIOT CONSOMMÉ? À VOUS DE CHOISIR

BETH, MA MIGNONNE, AIMERAIS-TU SORTIR AVEC MOI, LE SEUL ET UNIQUE MOI, LA VEILLE DU JOUR DE L'AN?

AS-TU DÉJÀ RI AU POINT DE T'ÉTOUFFER?

OH, JE ME SUIS BIEN ÉTOUFFÉ AVEC UNE OU DEUX BOULES DE POILS...

GARFIELD, ASSOYONS-NOUS ICI ET PENSONS PROFONDÉMENT

LES SINGES SE MARIENT-ILS?

REVIENS, TU ES TROP PROFOND

JIM DAVIS 1-3

JE N'AI AUCUN PLAISIR À DONNER DES COUPS DE PIED À ODIE

BOOT!

J'AIME TOUTEFOIS LE REGARDER DÉCHIRER L'AIR DANS SA CHUTE

JIM DAVIS 1-4

QUE FAIS-TU AUJOURD'HUI, GARFIELD?

J'AI PENSÉ TERMINER MES MÉMOIRES, PUIS REPEINDRE LA MAISON

JE DÉTECTE LE SARCASME

ENSUITE, JE ME METS AU SERVICE DE LA COMMUNAUTÉ

JE TE DEMANDE SEULEMENT DE BOUGER JUSTE ASSEZ POUR NE PAS AVOIR À T'ÉPOUSSETER

TRAVAILLE! TRAVAILLE! TRAVAILLE!

IL RÊVE QU'IL SAUTE DANS LES PÂQUERETTES

JIM DAVIS 1-12

J'AI EU UNE JOURNÉE BIEN REMPLIE

MOI AUSSI

C'ÉTAIT IL Y A ENVIRON HUIT ANS

JIM DAVIS 1-13

www.garfield.com

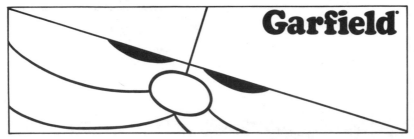

Garfield

RIIING!

ALLÔ?

OUI?... OUI?...

OUI?!

OUIIIIIIIIIIIII?....

JE VOUS DEMANDE SINCÈREMENT PARDON...

C'EST MON SIGNAL POUR ME CACHER DERRIÈRE LES RIDEAUX PENDANT UNE HEURE

CLIC

CHATS DU MONDE ENTIER, UNISSEZ-VOUS!

LE TEMPS EST VENU DE BRÛLER VOS COLLIERS ET DE VOUS DÉFAIRE DU JOUG DE L'OPPRESSEUR!

NOUS AVONS TROP LONGTEMPS SOUFFERT SOUS LE TALON DE L'HOMME!

LE TEMPS D'AGIR EST ARRIVÉ! LE TEMPS D'...

OH, ♪ TENDRES!

EUH... LE TEMPS D'...

TENDRES, TENDRES MORCEAUX!

EUH, UNE MINUTE, JE REVIENS

LA RÉVOLUTION FAIT LA PAUSE MIAM-MIAM

JIM DAVIS 1-23

JE VAIS M'ÉBATTRE DANS LE PRÉ!

ILS ONT CONSTRUIT UN HÔTEL À LA PLACE

TU POURRAIS TE TENIR DANS LE HALL

JIM DAVIS 2-2

C'ÉTAIT MADAME BROWN AU TÉLÉPHONE

JIM DAVIS 2-3

ELLE DIT QUE TU L'AS MORDUE

EH BIEN?

ELLE PORTAIT UN MANTEAU AVEC DES CÔTELETTES DE PORC IMPRIMÉES PARTOUT

GARFIELD ®

ALORS JE LUI AI DIT: « C'EST DU BRIE OU RIEN, BÉBÉ... »

OU-OH... VOICI TON HUMAIN... CACHE-MOI!

STOUF

JE VOIS QUE TU ES AUX AGUETS

CONTINUE COMME ÇA!

SLAP!

GULP

SOURIS! ES-TU TOUJOURS LÀ?!

TOUT JUSTE

JE M'ACCROCHE À LA VIE PAR TA LUETTE

JIM DAVIS 2-6

SNIF SNIF

CE BONHOMME DE NEIGE SENT L'HUILE DE COCO

CRÈME SOLAIRE

www.garfield.com

ANIMAUX MOUILLÉS!

www.garfield.com

ANIMAUX MOUILLÉS!

TU SENS TON POUVOIR?

GARFIELD!

ÇA SUFFIT, GARFIELD, C'ÉTAIT DRÔLE POUR QUELQUE TEMPS

MAIS LÀ TU EXAGÈRES

IL FAUT QUE ÇA CESSE

JIM DAVIS 2-16

JIM DAVIS 2-17

Bienvenue. Entrez votre mot de passe:

HMMM

www.garfield.com

© 2000 PAWS, INC./Distributed by Universal Press Syndicate

TIC TAC
TIC TAC
TIC TIC
TAC

JIM DAVIS 2-20

C'EST
« LASAGNE », NON?

IL A DEVINÉ
JUSTE

NOTRE SPECTACLE DE CE SOIR SERA TRÈS GROS

HÉ!

J'AI LE DROIT DE CHANTER DU BLUES!

J'AI AUSSI LE DROIT DE MANGER LE PEPPERONI SUR LES PIZZAS DE TOUT LE MONDE

COMMENT DÉRANGER

COMMENT NE PAS ÊTRE DÉRANGÉ

TU FERAIS BIEN DE NE PAS TE FOUTRE DE NOS GUEULES, JON! N'EST-CE PAS, ODIE?

TU VOIS? IL EST D'ACCORD

GARFIELD, C'EST VENDREDI SOIR

UN AUTRE WEEK-END DE TÉLÉ ET DE GRIGNOTINES

TOMBER ENDORMI DEVANT UN FILM SANS INTÉRÊT

OUUUI!

BÂILLEMENT

POUR CEUX D'ENTRE VOUS QUI SONT ARRIVÉS EN RETARD, VOICI CE QUE VOUS AVEZ MANQUÉ

BÂILLEMENT

TROTTE
TROTTE
TROTTE

STOMP!

QU'EST-CE QUE ÇA ME DONNE D'AVOIR TOUTES CES PATTES SI JE NE PEUX ÉCHAPPER À PERSONNE?!

DWAYNE, REGARDE-TOI! QU'EST-CE QUI T'ARRIVE?

SMACK

ÇA

BON, J'AI QUELQUE CHOSE À FAIRE

VAS-Y

JE CROIS QUE JE POURRAI Y ARRIVER SEUL

« ... ET PENDANT QUE LE CHIEN DORMAIT, LE CHAT SE MIT À S'AIGUISER LES GRIFFES SUR LA PIERRE À AIGUISER. »

« EN EFFET, CETTE SOIRÉE PROMETTAIT D'ÊTRE TRÈS MOUVEMENTÉE... » À SUIVRE...

J'AI UN RENDEZ-VOUS, ET LE SEUL VÊTEMENT PROPRE QUI ME RESTE, C'EST MON HABIT DE GORILLE

OUUUUUAIS!

IL NE MANQUE JAMAIS DE ME DÉCEVOIR

www.garfield.com

JIM DAVIS 3-17

© 2000 PAWS, INC./Distributed by Universal Press Syndicate

JE DÉTESTE L'AVOUER, MAIS JON ME MANQUE

JIM DAVIS 3-18

JE M'ENNUIE DE SON RIRE... DE SA GENTILLESSE...

© 2000 PAWS, INC./Distributed by Universal Press Syndicate

PEUT-ÊTRE DEVRAIS-JE LE LAISSER SORTIR DE LA PENDERIE

BOUM!
BOUM!
BOUM!

www.garfield.com

■■● ●■ ●●● ■●● ●● ● ■ ■●● ●●
(G) (A) (R) (F) (I) (E) (L) (D) ── (®)

SLAM!

QUELLE
JOURNÉE!

J'ÉTAIS AU CENTRE-VILLE DEVANT UNE BOUTIQUE OÙ ON
LIT LES LIGNES DE LA MAIN, ALORS JE SUIS ENTRÉ

LA VIEILLE GITANE A REGARDÉ UNE DE MES MAINS ET
ELLE NE POUVAIT PLUS S'ARRÊTER DE RIRE!
ÉVIDEMMENT, ÇA M'A FÂCHÉ...

ALORS J'AI PRIS MON CHEWING-GUM ET JE L'AI COLLÉ SUR
SA BOULE DE CRISTAL. ELLE S'EST ALORS MISE EN COLÈRE
ET A APPELÉ CETTE MALÉDICTION SUR MOI

OUUUI, ET DE QUELLE
MALÉDICTION
S'AGIT-IL?

JIM DAVIS 3-19

ET VOICI, TOUT DROIT DU GRIL!

MON OMELETTE A DES PLUMES

JE TE L'ÉCHANGE POUR UNE OMELETTE AVEC UN BEC

DEUX SPÉCIAUX AU THON, S'IL VOUS PLAÎT

SNIF!

...DÉSOLÉE, JE DEVIENS ÉMOTIVE

MON PREMIER MARI EST DÉCÉDÉ ALORS QU'IL MANGEAIT LE SPÉCIAL AU THON

FROMAGE! CE SERA UN SANDWICH AU FROMAGE POUR MOI!

JE SUIS DÉSOLÉ...

C'ÉTAIT MADAME FEENY, QUI SE PLAIGNAIT DE TOI UNE FOIS DE PLUS

TU NE METS PLUS JAMAIS LE PIED SUR SA PROPRIÉTÉ, COMPRIS?!

RING

ENLÈVE TON ORTEIL DE SON TERRAIN!!

JIM DAVIS 3-26

J'AI UN RENDEZ-VOUS CE SOIR!

JE ME DEMANDE CE QUE JE DEVRAIS LUI OFFRIR?

ET SI TU LUI POSAIS UN LAPIN

UNE AUTRE JOURNÉE VIENT DE PASSER

ET POURQUOI NE PASSERAIT-ELLE PAS?

ÉVIDEMMENT, NOUS N'AVONS RIEN FAIT POUR L'ARRÊTER